Mamá,
Cuéntame tu historia

Sumario

Dedicatoria

Querida madre:

La historia de tu vida significa mucho para mí y por esta razón me encantaría conservarla a través de este diario, para luego transmitirla a las generaciones por venir.

En este libro encontrarás preguntas sobre diferentes etapas de tu vida, las cuales han marcado tu existencia y han permitido que te conviertas en la mujer que eres hoy en día.

Puedes llenar este diario conmigo o hacerlo por tu cuenta. Toma el tiempo que estimes necesario para escribir tus hermosos recuerdos y consejos de vida.

Una vez que hayas finalizado de escribir tu historia, podré conservarlo como un tesoro invaluable.

Muchísimas gracias,

Tú

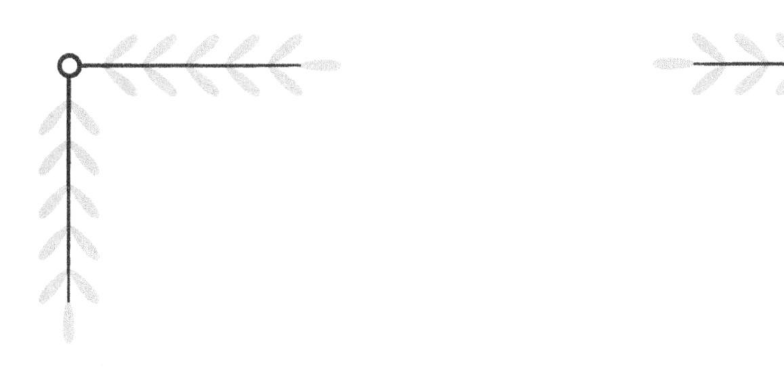

Naciste el .... en.........................

Tu nombre................................

Hoy ,................ tienes........ años.

Tu nacimiento

¿Naciste en un hospital? Si no es así, ¿por qué razón?

....

....

....

....

....

....

¿Qué edad tenían tu mamá y tu papá?

....

....

¿Tenías hermanos y hermanas cuando naciste?

....

....

....

¿Por qué tus padres escogieron tu nombre ?

....

....

....

Tu juventud

¿Cuál era tu pasatiempo favorito?

....

....

....

....

....

¿Cuál era tu cuento preferido y por qué?

....

....

....

....

....

....

¿En cuál ciudad creciste? ¿Te gustaba vivir en esa ciudad?

....

....

....

....

....

....

....

¿Te gustaba ir a la escuela? ¿Tenías buenas calificaciones?

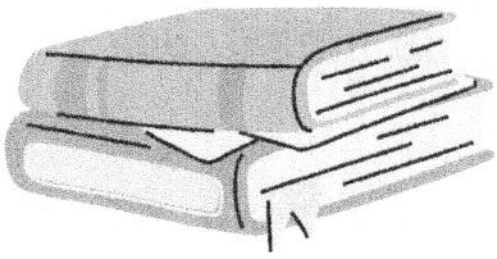

¿Cuáles fueron tus asignaturas favoritas?

¿Quiénes eran tus mejores amigos?

- ....
- ....
- ....
- ....
- ....
- ....
- ....
- ....

¿Cuáles son los recuerdos más agradables que tienes de ellos?

....
....
....
....
....
....
....
....
....
....
....
....
....
....

¿Cuáles eran tus juegos favoritos en el recreo?

Cuando hacías alguna travesura, ¿recibías algún castigo?

Cuando eras niña, ¿cuáles eran tus canciones preferidas?

....

....

....

....

....

....

....

¿Cuáles eran tus juguetes y juegos preferidos ?

- ....
- ....
- ....
- ....
- ....
- ....

¿Te gustaba compartir tus juguetes?

....

....

....

....

¿Cuál es el recuerdo más hermoso de tu infancia?

Una foto tuya cuando eras niña

Durante la adolescencia, ¿Te gustaba salir con tus amigos?

¿Cuáles eran tus actividades más habituales?

¿Cuáles fueron los momentos que más disfrutaste?

¿Y tu mayor reto? ¿Cómo lo superaste?

Tu árbol genealógico

Escribe los nombres, apellidos y fechas de nacimiento de tu madre, padre, abuelos maternos y abuelos paternos.

Tu familia

¿Me puedes hablar sobre tus padres? ¿Cómo los recuerdas?

Tu mamá:

Tu papá :

Y tus abuelos maternos y paternos, ¿los conociste? ¿Me puedes hablar de ellos?

¿Tenían muchas celebraciones en familia? ¿Cuál era tu preferida?

¿Qué hacías durante las vacaciones?

¿Tienes alguna foto con tus padres y/o abuelos?

Tu vida adulta

¿Cuál fue tu primer trabajo? ¿Te gustaba?

Luego, ¿a qué te dedicaste?

¿Vivías lejos de la casa de tus padres?
¿Podías visitarlos con frecuencia?

¿Pudiste realizar algún viaje que siempre soñaste?

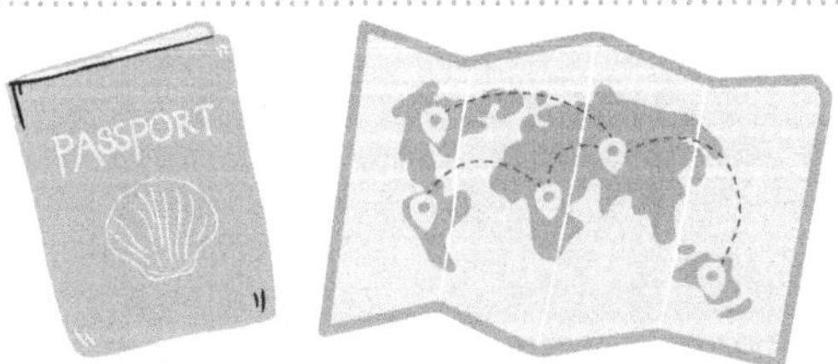

¿Dónde fue? ¿Quién te acompañó?

¿Has vivido momentos históricos importantes?
¿Cuál ha sido el que más te ha impactado?

¿Cómo y cuándo conociste a mi padre?

¿Te enamoraste a primera vista?

¿Cómo y cuándo iniciaron su relación de pareja?

¿Cómo fueron los inicios de la convivencia?

¿Pudiste realizar junto a mi padre, algún viaje que siempre habías querido?

¿Cómo y cuándo habéis decidido tener hijos?

Foto junto a mi padre

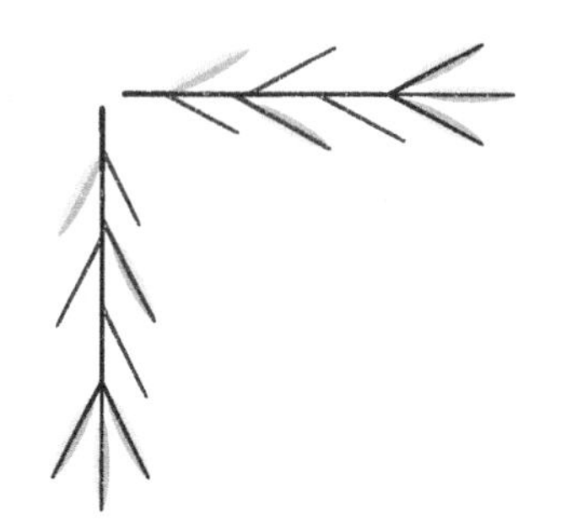
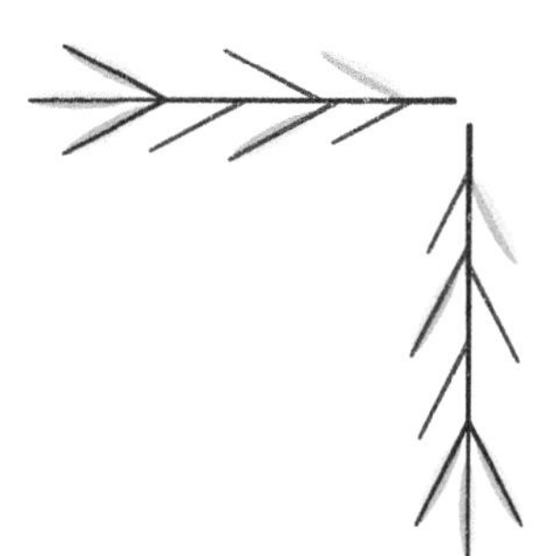

Tu vida de mamá

¿Cómo reaccionaste cuando te enteraste que estabas embarazada? ¿Cuántos años tenías?

¿Cómo viviste el embarazo? ¿Cuáles eran tus antojos más frecuentes?

¿Cómo fue el trabajo de parto? ¿Duró mucho tiempo?

Cuando me viste y abrazastes por primera vez ¿cómo te sentistes?

Mi nombre, ¿lo escogiste tú? ¿por qué te gustó?

¿Sabes cuál es el significado de mi nombre? De lo contrario, ¡Te puedo ayudar en la búsqueda!

¿Cuáles otras opciones de nombres tenías en mente ?

- ....
- ....
- ....
- ....

¿Cuál es la actividad que más te agrada hacer conmigo?

¿Hay cosas que tú me permites hacer pero que tus padres te lo prohibían?

¿Qué es lo que más aprecias de mi personalidad?

¿Crees que tú y yo nos parecemos en muchos aspectos?

Me puedes decir, ¿cuánto me amas?

¿Cuáles sueños quisieras realizar a mi lado?

¿Qué es lo que más te gusta de tu rol de madre?

Foto familiar

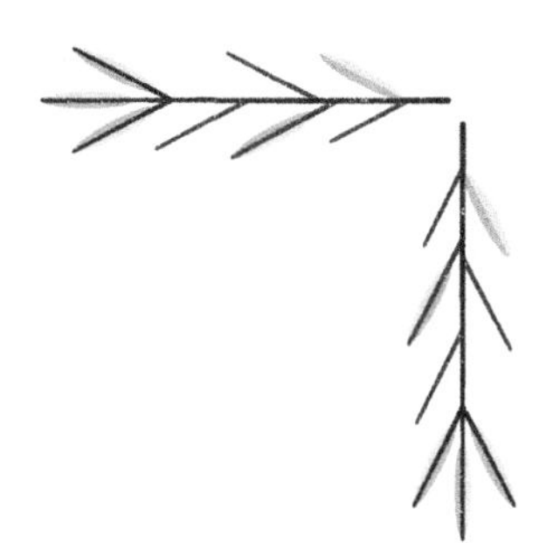

Tu vida entera

¿Cuáles han sido los momentos más memorables que has vivido hasta ahora ?

¿Cuáles son tus sueños por cumplir?

¿Qué es lo que más amas de la vida?

¿Qué es lo que más temes?

¿Cuáles son los valores y principios que rigen tu vida?

¿Piensas que todavía te quedan cosas por hacer?
¿cuáles son?

Tus consejos de vida

¿Cuáles consejos me puedas dar para tener éxito en mi vida personal?

¿y en mi vida profesional?

También me gustaría saber...

Nuestra foto más hermosa

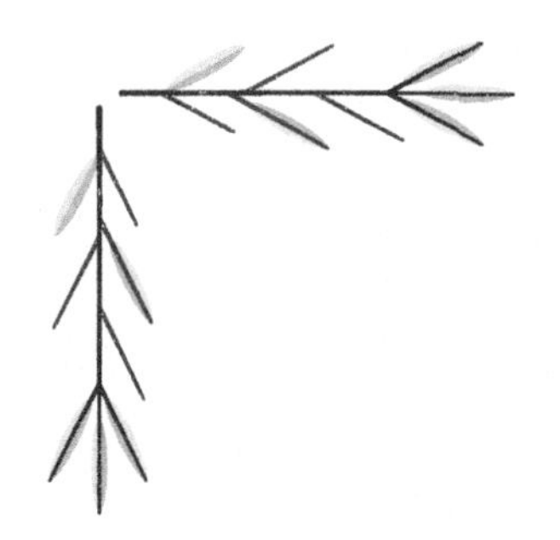

Tu vida en fotos

Estimado cliente:

Esperamos que disfrute mucho de este diario. De ser así, por favor, apóyenos dejando una evaluación positiva en Amazon.

¡Muchas gracias por su confianza!

Made in the USA
Coppell, TX
23 October 2024